COLORINDO histórias
Branca de Neve
CB053780
Ciranda Cultural

EM UM BELO REINO, VIVIA UMA JOVEM PRINCESA DE CABELOS ESCUROS COMO CARVÃO E PELE BRANQUINHA COMO NEVE. SEU NOME ERA BRANCA DE NEVE.

A PRINCESA MORAVA EM UM CASTELO COM A RAINHA, SUA MADRASTA, UMA MULHER MUITO BONITA E VAIDOSA QUE TINHA UM ESPELHO MÁGICO, PARA O QUAL SEMPRE PERGUNTAVA: "ESPELHO, ESPELHO MEU, EXISTE NESTE LUGAR MULHER MAIS BELA DO QUE EU?". O ESPELHO SEMPRE RESPONDIA QUE A RAINHA ERA A MAIS BELA QUE EXISTIA.

CERTO DIA, A RAINHA FEZ NOVAMENTE ESSA PERGUNTA PARA O ESPELHO, MAS RECEBEU UMA RESPOSTA INESPERADA: "MINHA RAINHA, VOCÊ É LINDA, MAS AGORA BRANCA DE NEVE É A MAIS BELA DE TODAS!".

A RAINHA FICOU FURIOSA E ORDENOU QUE UM DOS SEUS EMPREGADOS LEVASSE BRANCA DE NEVE PARA BEM LONGE DALI. ELE LEVOU A PRINCESA PARA FORA DO REINO, MAS NÃO TEVE CORAGEM DE DEIXÁ-LA TÃO LONGE.

A PRINCESA ESTAVA PERDIDA NA FLORESTA E NÃO SABIA PARA ONDE IR. DEPOIS DE MUITO ANDAR, ELA VIU UMA PEQUENA CASA. CURIOSA, ABRIU A PORTA E FICOU SURPRESA COM O QUE VIU, POIS TUDO DENTRO DA CASA ERA PEQUENO!

A CASA PERTENCIA A SETE ANÕES E ESTAVA DESARRUMADA. A PRINCESA ARRUMOU TUDO E, DEPOIS, ACABOU ADORMECENDO. QUANDO OS ANÕES RETORNARAM PARA CASA, FICARAM ASSUSTADOS COM A MOÇA, QUE SE APRESENTOU E CONTOU SUA HISTÓRIA.

OS ANÕES TAMBÉM SE APRESENTARAM E GOSTARAM TANTO DA PRINCESA QUE A DEIXARAM FICAR NA CASA. MAS, CERTO DIA, A RAINHA SOUBE PELO ESPELHO QUE BRANCA DE NEVE ESTAVA PERTO DALI, MORANDO COM OS ANÕES.

A RAINHA SE DISFARÇOU DE VELHINHA E FOI ATÉ A CASA DOS ANÕES, QUE NÃO ESTAVAM LÁ. PELA JANELA, OFERECEU PARA A PRINCESA UMA MAÇÃ E FOI EMBORA. SEM DESCONFIAR QUE A FRUTA ESTAVA ENVENENADA, BRANCA DE NEVE A SABOREOU E LOGO CAIU EM UM SONO PROFUNDO.

UM PRÍNCIPE QUE PASSEAVA PELA FLORESTA VIU A PORTA DA CASA ABERTA E BRANCA DE NEVE DORMINDO. ENCANTADO COM A JOVEM, ABRAÇOU-A BEM FORTE. A PRINCESA, COMO NUM PASSE DE MÁGICA, ACORDOU E FICOU ENCANTADA PELO BELO PRÍNCIPE.